GW00985560

Gallery Books
Editor: Peter Fallon

A NECKLACE OF WRENS

Michael Hartnett

A NECKLACE
OF WRENS

Selected poems in Irish
with English translations
by the author

Gallery Books

A Necklace of Wrens
was first published
simultaneously in paperback
and in a clothbound edition
on 28 August 1987.
Reprinted 2000.

The Gallery Press
Loughcrew
Oldcastle
County Meath
Ireland

ISBN 1 85235 008 3 (*paperback*)

The Gallery Press acknowledges the financial assistance
of An Chomhairle Ealaíon / The Arts Council, Ireland,
and the Arts Council of Northern Ireland.

for Angela Liston

Clár

Contents

An Giorria

Ba dhomhan glas é.
Bhí smaointe glasa
ag lúbadh go ciúin
i bpáirc a haigne.
Boladh bó, boladh bainne
forbairt fhréamh-mhilis
faoi thalamh.

Chuala sí toirneach.
Thit an spéir ar a droim.
D'alp an sliabh an ghrian siar.
Múchadh an domhan
mar chipín solais lá gaoithe.
Bhíog a hál istigh faoi chlúmh beo
a boilg.
Bhí a súile ar oscailt,
screamh an bháis ag lot
an ghliondair,
ag lot na loinnreach.

Maith dom é, a chailín.
Ní raibh aon scian agam
chun do chlann a shábháil.
Maith dom é.

The Hare

It was a green world.
Green thoughts
curled quietly
in her mind's field.
Cowsmell, milksmell
sweet-root expansion
under ground.

She heard thunder.
The sky fell on her back.
The hill gulped down the sun.
The world was quenched
like a match in wind.
Under her belly's fur
the live litter kicked.
Her eyes were open,
death's scum destroying
the joy, the great shining.

Forgive me, girl.
I had no knife
to cut your children free.
Forgive me.

An Dobharchú Gonta

Dobharchú gonta
ar charraig lom
ga ina taobh,
í ag cuimilt a féasóige
ag cuimilt scamaill a cos.

Chuala sí uair
óna sinsir
go raibh abhainn ann,
abhainn chriostail,
gan uisce inti.

Chuala fós go raibh breac ann
chomh ramhar le stoc crainn,
go raibh cruidín ann
mar gha geal gorm;
chuala fós go raibh fear ann
gan luaith ina bhróga,
go raibh fear ann
gan chúnna ar chordaí.

D'éag an domhan,
d'éag an ghrian i ngan fhios di
mar bhí sí cheana
ag snámh go sámh
in abhainn dhraíochta an chriostail.

The Wounded Otter

A wounded otter
on a bare rock
a bolt in her side,
stroking her whiskers
stroking her webbed feet.

Her ancestors
told her once
that there was a river,
a crystal river,
a waterless bed.

They also said
there were trout there
fat as tree-trunks
and kingfishers
bright as blue spears –
men there without cinders
in their boots,
men without dogs
on leashes.

She did not notice
the world die
nor the sun expire.
She was already
swimming at ease
in the magic crystal river.

Dán Práta

Inniu chuir mé mo dhánta,
aoileach, scian, scealláin:
an pháirc mo phár bán,
an rámhainn mo pheann.

Tiocfaidh na gasa ina ndideanna glasa
ceann ar cheann,
tiocfaidh an bláth bán is croí ina lár
mar sheile ón ngrian.

A dhalta, ná bí díomhaoin
ach bailigh do threalamh le chéile
mar táid filí na tíre
ag atreabhadh úir na hÉireann
is fágfar tusa i do bhochtán
gan phráta, gan dán.

Potato Poem

Today I planted poems –
dung, knife, seed:
a field my page,
my pen a spade.

Green nipples will come
one by one,
white flowers, their centres,
like spits from the sun.

Learners – no longer idle,
but gather your implements
for all of Ireland's poets
replough the Irish earth
and you will be bereft
of potatoes and of verse.

Fís Dheireanach Eoghain Rua Uí Shúilleabháin

Do thál bó na maidine
ceo bainne ar gach gleann
is tháinig glór cos anall
ó shleasa bána na mbeann.
Chonaic mé, mar scáileanna,
mo spailpíní fánacha,
is in ionad sleán nó rámhainn acu
bhí rós ar ghualainn chách.

The Last Vision of Eoghan Rua Ó Súilleabháin

The cow of morning spurted
milk-mist on each glen
and the noise of feet came
from the hills' white sides.
I saw like phantoms
my fellow-workers
and instead of spades and shovels
they had roses on their shoulders.

An Muince Dreoilíní

do Mhícheál Ó Ciarmhaic, file

I mo bhuachaill óg, fadó fadó,
    d'aimsíos nead.
Bhí na gearrcaigh clúmhtha, fásta,
    is iad ag scread.

D'éirigh siad – is thuirling
    arís ar m'ucht
Ormsa bhí muince clúimh
    sa mhóinéar fliuch.

Níor dhuine mé ach géag crainn
    nó carn cloch
ach bhí iontas crua nár bhraith siad
    ag bualadh faoi m'ucht.

B'in an lá ar thuirling ceird
    a éilíonn ómós:
is d'fhág a n-ingne forba orm
    nár leigheasadh fós.

A Necklace of Wrens

for Mícheál Ó Ciarmhaic, file

When I was very young
    I found a nest.
Its chirping young
    were fully fledged.

They rose and re-alighted
    around my neck,
Made in the wet meadow
    a feather necklet.

To them I was not human
    but a stone or tree:
I felt a sharp wonder
    they could not feel.

That was when the craft came
    which demands respect.
Their talons left on me
    scars not healed yet.

An Garrán

Cinniúint innill, déanamh bóthair.
Cinniúint fir, cailliúint gach ar thóg sé.

Is é ina bhuachaill, chuir sé plandaí
atá fásta suas anois ina gcrainn.
Éiríonn sé lá, tá a gharrán éignithe.
Chíonn sé uaidh na stoic réabtha
mar leanaí marbha tar éis pléisce:
masla don domhan, masla dó féin é.
Cuireann a rásúr i mála,
leabhar an phinsin, seanscáthán:
is tréigeann sé an garrán.
Do pósadh é fadó
le tuí, le speal,
le giuirléidí cró.
I bhfuinneog bhriste
fágann sé a stair:
tréigeann sé a gharrán,
tréigeann sé é féin –
mar is eisean an fhuinseog,
is eisean an dair.
Ní thuigeann an t-inneall é.

The Grove

The destiny of machines is the making of roads.
The destiny of man is the losing of all.

When he was young he planted saplings.
They grew to tall trees.
And one day, his grove is raped –
he sees uprooted trunks,
dead infants after an explosion –
an insult to the earth, an insult to the man.
He packs his razor in a bag,
his pension-book, his looking-glass,
abandoning the grove.
He was married years ago,
to thatch, to scythes,
to implements in sheds.
His history remains
in a broken pane of glass.
He abandons the grove,
he abandons his soul –
for he is the ash,
he is the oak.
Machinery does not understand.

An Séipéal faoin Tuath

Scuabann an gleann amach iad
mar lasta póca gach Domhnach,
don mhá, go cluainte ramhra,
an mhuintir seo, glic, sonasach,
mar fhoirne rince bailithe
le hais balla sheanteach Dé,
lámh chara in uillinn charad,
namhaid ag seachaint namhad:
an síor-rince amaideach.
Capaill uaigneacha anseo is ansiúd
ceangailte ina gcodladh:
gluaisteáin faoi cheilt
faoi sceach nó chlaí nó chró
is miongháirí glasa as na crainn
a chonaic Icarus ina bhacach uair.
Is capall uaigneach an pobal seo
ag dul amú san fhichiú haois
chomh tuathalach le fear ag rince
le bean rialta ag bainis.

The Country Chapel

The glen sweeps them out
like pocket dross each Sunday,
to the plain, to the fat meadows –
this people, sly and happy,
gathered like a set-dance team
by the wall of the old chapel:
friendly elbows, friendly hands,
foe avoiding enemy
in the daft eternal dance.
Lonesome horses here and there
tethered and asleep –
motorcars ahide
by bush by hedge by shed
and green sneers from the trees
that once saw Icarus lamed.
This congregation is a lonely horse
straying in this age
as awkward as a man
dancing with a nun
on a wedding day.

An tSochraid Mheidhre

1.
Den fhear níl fágtha ach leac.
    Thóg sé falla atá clochfhoirfe fós.
    Leasaigh sé talamh atá ramhar fós.
    Do chrúigh sé bó atá beo fós.
    Bhrúigh sé cuntar atá beorach fós.
    Ach níor chaoin an falla,
    Níor chaoin an talamh.
    Tá an bhó lánsásta le méara eile,
    Tá an cuntar i ngrá le huilinn eile.
Den fhear níl fágtha ach leac.
Dearmhadann nithe neach.

2.
Bhí dol i ngach áit roimhe:
dol an mheasa ar na bóithre,
dol na cabhrach i bpáirc an Fhómhair,
dol cineáltais i lár an mhargaidh,
in am na breoiteachta, dol an bhuíochais,
is an dol ba ghlice ins an gcistin:
dol dothréigthe nimhneach aoise.
An bhroinn a rug é, ba í do chuir iad.

3.
As deatach is cloig atá an chistin déanta,
corcáin dhubha, cathaoireacha aosta,
súile dearga móna, bruscar compordach,
is seanbhean ann chomh fada sin
go bhfuil sí féin ag teacht chun a bheith
ina deatach, ina clog:
a croí ina chorcán dubh
a corp ina chathaoir aosta
a súile ina ngríosach mhóna
a hanam ina bhruscar.

The Jolly Funeral

1.
Nothing left of the man but a slab.
    He built a wall – stone-perfect still.
    He topdressed land – fat still.
    He milked a cow – alive still.
    He pressed a bar – beery still.
    But the wall did not wail
    nor the land lament.
    With other hands the cow's content,
    the bar loves other elbows.
Nothing but a slab is left of him.
Things forget men.

2.
There were snares set everywhere:
the snare of respect on the road,
the snare of help at the harvest,
the snare of kindness at market,
the snare of thanks in sickness,
the cleverest snare in the kitchen –
the poisoned unleavened snare of age.
The woman who bore him, she set them.

3.
The kitchen's made of smoke and clocks,
ancient chairs, black pots,
red eyes of turf, comfortable bric-à-brac.
And an old woman there so long
that she herself becomes
smoke and clocks,
her heart a black pot
her eyes red turf
her soul bric-à-brac.

D'éag an mháthair, d'éag an teaghlach:
thréig an mac an chré.

4.

Tá an turas rófhada, an turas go dtí na páirceanna,
striapach gan tada uaithi doras an tí tábhairne:
tá na hacraí slinn eadrainn, is ráfla bláth,
ráfla cumhra a thiteas orainn ó smólaigh arda:
féar faoi leaca brúite, crainn faoi sreanga báite,
clós an dúna dúnta, oícheanta gan scáth:
tá an turas seo rófhada, is táimse tnáite.
Tá an turas rófhada, an turas go dtí na páirceanna.

5.
        Claochlaíonn seile uaine
        ina seilide deas glas.
Is ó! an fuisce ómra is an buachaill caol dubh.
        Cruinniú caipíní sa chúinne
        ag labhairt go pras.
Is ó! an fuisce ómra is an buachaill caol dubh.
        Codlaíonn deatach mar chú gorm
        sa dorchadas.
Is ó! an fuisce ómra is an buachaill caol dubh.
    An comhluadar ag cómhún
    a fual fite in aonlasc.
Is ó! an fuisce ómra is an buachaill caol dubh.
        Comhrá baoth na seanuncailí
        ag plobarnaíl go fras.
Is ó! an fuisce ómra is an buachaill caol dubh.
        Prislín pórtair ón gcuntar
        ina shlabhra go dtí an casca.
Is ó! an fuisce ómra is an buachaill caol dubh.
        Ceanglaíonn sor an uaignis
        a chroí le tréan-nasc.

The mother died, the household died:
the son left the land.

4.
The journey is too long, the journey to the meadows,
a whore who charges nothing the place of entertainment,
acres of slates between us, rumours of flowers –
perfumed rumours that fall on us from high thrushes:
grass crushed under stones, trees drowned in wires,
the rath's lawn closed, nights without shadows:
the journey is too long, and I am exhausted.
The journey is too long, the journey to the meadows.

5.
    Green spit becomes
    green snail's track.
And oh! the amber whiskey and the dark slim lad.
    Caps combine in corners,
    rapidly yap.
And oh! the amber whiskey and the dark slim lad.
    Smoke sleeps, a blue hound,
    in the dark.
And oh! the amber whiskey and the dark slim lad.
    Old boys waffle,
    gurgling fast.
And oh! the amber whiskey and the dark slim lad.
    The company co-pissing
    their floods in a single plait,
And oh! the amber whiskey and the dark slim lad.
    Dribbles of porter from the counter
    in chains to the cask,
And oh! the amber whiskey and the dark slim lad.
    The louse of loneliness
    clamps his heart.

Is ó! an fuisce ómra is an buachaill caol dubh.
    Éiríonn tonn an chúir
    aiseag, masmas.
Is ó! an fuisce ómra is an buachaill caol dubh.

6.
Is iad seo suaitheantais an aonaráin –
    buidéal folamh
    leaba gan líon
    cófra gan feoil
    madra gan bhia
    corcán gan phráta
    teallach gan tine
    airgead gan áireamh
    arán gan im air
    buicéad gan ghlanadh
    bás gan chara.
B'in iad suaitheantais an aonaráin.

7.
D'ólamar a shláinte sa teach tábhairne,
    cheannaíomar *round* dá anam:
Bhuaileamar bóthar ag sodar don tórramh
    tar éis é a thréigean sa talamh.

Le gloiní pórtair is fuisce ómra,
    ceol agus craic agus caidreamh,
D'fhágamar slán leis gan é a cháineadh
    is dhearmhadamar an madra.

Tháinig an Bás isteach – is é a bhí dána –
    cheannaigh sé *round* mar aon linn:
'Ólaigí, a chairde, bead ar ais amárach'.
    Bhí *fivers* go leor ina mhéara.

And oh! the amber whiskey and the dark slim lad.
    Froth-waves of nausea,
    vomit on tap.
And oh! the amber whiskey and the dark slim lad.

6.
These are the signs of the lonely man –
    empty bottle
    sheetless bed
    meatless press
    hungry dog
    spudless pot
    fireless hearth
    uncounted cash
    butterless bread
    bucket unwashed
    friendless death.
These were the signs of the lonely man.

7.
We bought him rounds in the public house,
    drank a health to his soul.
A dash we did make back to the wake
    leaving his corpse in the hole.

With glasses of porter and whiskies of gold
    the song and the crack were jolly.
We bade him farewell and wished him no ill
    and we forgot the doggie.

In Death came with a brazen face –
    bought his round like a man.
'Drink up, my darlings – I'll be back in the morning.'
    Fivers fell from his hand.

Shracamar a chába, bhriseamar a lámha,
  scoilteamar a cheann le stóilín:
Chaitheamar an púca laistiar den chuntar
  is ba ghearr go raibh an t-airgead ólta.

Thógamar é in airde amach go dtí an gairdín
  is bhí barra faoi in áit cóiste
Chuireamar a chorp le ríl is le port
  is mar leac air bhí bairille pórtair!

We tore his coat, his limbs we broke,
    his head with a stool we smashed.
We threw the louser behind the counter
    and drank every bit of his cash.

We took him out to the back of the house,
    a wheel-bar' to transport him.
We buried him with reel and jig
    his headstone a barrel of porter.

Sneachta Gealaí '77

Mé féin faoin aer san oíche,
ag speachadh seoda sneachta i bpáirc,
gach teach reoite, gach nead préacháin
mar ghealach dhubh ag snámh le hais na fíor-ré.
Mé féin ag damhsa faoin ngealach,
seanrince gan cheol leis ach ceol cuisle:
is mé féin go huaigneach – an seanuaigneas.

Thar imeall na spéire tá céasadh is goin
is an bás go fonóideach
a lámha ina phóca
ag feadaíl sa tsráid;
mé féin sa sneachta gealaí
ag moladh nead préacháin–
an file go sotalach, foclach, slán.

Moonsnow '77

Myself outside at night,
kicking snow-jewels in a field,
each house frozen, each rook's nest
a black moon swimming by the real moon.
Myself dancing under the moon,
an old dance with no music
but pulse-music:
and myself lonely – the ancient loneliness.

Over the border, torture and wounds
and death sneers
hands in pockets
whistles at street corners:
and myself in the moonsnow
praising a rook's nest –
the poet, arrogant, verbose, safe.

Sneachta Gealaí '78

Sneachta gealaí ag sileadh
    trí nead préacháin,
Bainne gealaí ag stealladh
    trí chriathar cipín.
Sioc agus sneachta
    ina sceilpeanna gealaí –
Splancacha, splancacha,
    splancacha.
Duibhe na rós
goirme luí gréine
buíocht na sú talún:
tá dath na fola dearmhadta
anseo i nead na Mumhan.

Moonsnow '78

Moonsnow dripping
    through a rook's nest,
Moonmilk pouring
    through a twig sieve.
Frost and snow
    in bright fragments –
Flashes, flashes
    flashing.
Black of a rose
blue sunset
yellow strawberries:
the colour of blood's forgotten
here in the nest of Munster.

Easpa Codlata

D'eitil an solas
mar chealg neantóige
isteach i m'imrisc
d'ainneoin mo láimhe.
Dhúnas mo shúile
ach in ionad suaimhnis
chuaigh an solas
faoi chrúite órga
trasna mo mhogaill
ar cosa in airde:
mo chorp clúdaithe le seangáin chodlata,
m'intinn beo le taibhsí dorcha:
bhíos i mo bheirt, is bhíomar i ngleic.

Sleepless

The light flew
like a nettle-sting
into my pupils
in spite of my hands.
My eyes closed
but instead of repose
that light moved
with golden shoes
and galloped before
my sight.
My body alive with sleepy ants,
my mind alive with phantoms,
I was a restless couple wrestling with myself.

Aigne Trí Chriathar

Tonn seile ag líonadh tobar mo bhéil
  (cogar sa chúinne, cogar sa chúinne)
Easóga ag rith trí thollán gach féithe
  (cogar sa chúinne, cogar sa chúinne)
Gadaí ag réabadh mo dhorais istoíche
  (cogar sa chúinne, cogar sa chúinne)
Mo chorp crochta ar chrann le dealga toitíní
  (cogar sa chúinne, cogar sa chúinne)
Cairde ag magadh fúm agus ag gáire
  (cogar sa chúinne, cogar sa chúinne)
Suaimhneas báis mar adhairteanna bána
  (cogar sa chúinne, cogar sa chúinne)
An oíche ag tafann, casachtach dhorca
  (cogar sa chúinne, cogar sa chúinne)
Na cloig ag caint is ag síorghlaoch ormsa
  (cogar sa chúinne, cogar sa chúinne)
Gach blúire bia mar airc i mo scornach
  (cogar sa chúinne, cogar sa chúinne)
Dordán chóiste na marbh sa chlós amuigh
  (cogar sa chúinne, cogar sa chúinne)
Codladh grifín go teann i mo mhéara
  (cogar sa chúinne, cogar sa chúinne)
Scamhóga mar mhálaí gainimh i mo chléibh istigh
  (cogar sa chúinne, cogar sa chúinne)
Mo bhean is mo chlann i dtimpiste clipthe
  (cogar sa chúinne, cogar sa chúinne)
Mo chroí istigh ag borradh mar lamhnán muice
  (cogar sa chúinne, cogar sa chúinne)
Scríobadh neantóg amuigh leis an bhfalla
  (cogar sa chúinne, cogar sa chúinne)
Uaill mhadra a scanraíonn a macalla
  (cogar sa chúinne, cogar sa chúinne)

Strained Mind

A spit wave fills my mouth's well
    (talk in the corner talk in the corner)
Stoats run in my vein's tunnel
    (talk in the corner talk in the corner)
Dogs shatter my door this night
    (talk in the corner talk in the corner)
With cigarettes my body crucified
    (talk in the corner talk in the corner)
A friend mocks under his breath
    (talk in the corner talk in the corner)
The white pillows rest like death
    (talk in the corner talk in the corner)
The night barks with its dark cough
    (talk in the corner talk in the corner)
I am called by the nagging clock
    (talk in the corner talk in the corner)
Food lodged like lizards in my throat
    (talk in the corner talk in the corner)
A hearse hums on the road
    (talk in the corner talk in the corner)
The fingers of each hand grow numb
    (talk in the corner talk in the corner)
My ribs hold my sandbag lungs
    (talk in the corner talk in the corner)
My family and wife in some accident
    (talk in the corner talk in the corner)
A pig's bladder, my heart swells
    (talk in the corner talk in the corner)
Nettles scratch against the walls
    (talk in the corner talk in the corner)
An echo frightened by a dog's howl
    (talk in the corner talk in the corner)

Na crainn ag fás go hard uafásach
    (cogar sa chúinne, cogar sa chúinne)
An codladh romham, is dubh é a chába
    (cogar sa chúinne, cogar sa chúinne)

Tall and terrible trees grow
    (talk in the corner talk in the corner)
Sleep waits with its black cloak
    (talk in the corner talk talk)

Dán do Lara, 10

Fuinseog trí thine
gruaig do chinn
ag mealladh fuiseoige
le do ghlór binn
i bhféar glas,
is scata nóiníní
ag súgradh leat
is scata coiníní
ag damhsa leat
an lon dubh
is a órghob
mar sheoid leat
lasair choille
is a binneas
mar cheol leat.
Is cumhracht tusa,
is mil, is sú talún:
ceapann na beacha féin
gur bláth sa pháirc thú.
A bhanríon óg thír na leabhar
go raibh tú mar seo go deo
go raibh tú saor i gcónaí
     ó shlabhra an bhróin.

Seo mo bheannacht ort, a chailín,
is is tábhachtach mar bheannú é –
go raibh áilleacht anama do mháthar leat
     is áilleacht a gné.

Poem for Lara, 10

An ashtree on fire
the hair of your head
coaxing larks
with your sweet voice
in the green grass,
a crowd of daisies
playing with you
a crowd of rabbits
dancing with you
the blackbird
with its gold bill
is a jewel for you
the goldfinch
with its sweetness.
is your music.
You are perfume,
you are honey,
a wild strawberry:
even the bees think you
a flower in the field.
Little queen of the land of books
may you always be thus
may you ever be free
        from sorrow-chains.

Here's my blessing for you, girl,
and it is no petty grace –
may you have the beauty of your mother's soul
        and the beauty of her face.

Dán do Niall, 7

Mo thrua nach mairfidh tú go deo
i dtír na nead, do Thír na nÓg,
tír mhíorúiltí faoi chlocha,
tír sheangán:
tír na dtaibhsí dearga, tír fholláin.

Mas, tá an saol ag feitheamh leat
le foighne sionnaigh ag faire cearc:
cearca bána d'aigne úire –
scata fiáin
ag scríobadh go sonasach i bpáirc.

Más é an grá captaen do chroí
bíse teann ach fós bí caoin:
ainmhí álainn é an sionnach rua
ach tá fiacla aige atá gan trua.
Seachain é, ach ná goin:
bí sonasach ach bí righin.

Beadsa ann d'ainneoin an bháis,
mar labhraíonn dúch is labhraíonn pár:
beidh mé ann in am an bhróin,
in am an phósta, am an cheoil:
beidh mé ann is tú i d'fhear óg –
ólfad pórtar leatsa fós!

Poem for Niall, 7

A pity you'll not always be
in Bird-Nest country, Tír na nÓg,
land of miracles under stones,
red-phantom land, a safe place.

For world waits for you,
patient fox watching hens:
white chicks of your fresh mind –
a wild flock
scratching in a happy field.

If love commands your heart
temper strength with gentleness:
a lovely dog the red fox is
but his teeth are pitiless.
Avoid him, do not harm him:
be happy but be tough.

I will be there in spite of death
for ink speaks and paper speaks:
I will be there in the sorrowful times
when music plays at wedding feast.
I will be there as you grow older –
and some day I'll buy you porter!

Cúlú Íde

1.
Níor fháisc a ndamhsa a brón
    ná a mbróga snasta troma
a caoi: níor fháisc a gculaith nua
    ná crónán crua a bhfonn
a léan. Bhí an deatach ina lann
    gorm speile ann is do bhain
boladh báistiúil a gcótaí móra
    béic as scornach na cistine.

Mar chealg neantóige an snaois
    ina srón. Chaoin sí le feirg
is lean an t-olagón mantach í
    mar scréachaíl bhoilg faoi mheirg.
Bhí níos mó aithne ag an mnaoi
    – bean nite chorp an fhir
ná mar a bhí aici féin riamh,
    a bhean chéile, le bliain anois.

Las na ballaí lóchrann aoil
    di, í i gcochall síoda faoi cheilt:
níor thuig fáth a bróin i gceart
    is í ar fán gan bheart gan seift.
Lann scine gan loinnir súl
    an Deirdre ghruama seo gan laoch:
phreab seitreach an dúchais léi
    strus tnáite chapaill faoi chéacht.

2.
Dhein fearthainn na hoíche glib
mharmair dhuibh ar a ceann
is bhí ribe liath amháin
ina scaimh gheal airgid ann.

The Retreat of Ita Cagney

for Liam Brady

1.
Their barbarism did not assuage the grief:
their polished boots, their Sunday clothes,
the drone of hoarse melodeons.
The smoke was like the edge of blue scythes.
The downpour smell of overcoats
made the kitchen cry for air:
snuff lashed the nose like nettles
and the toothless praising of the dead
spun on like unoiled bellows.
She could not understand her grief:
the women who had washed his corpse
were now more intimate with him
than she had ever been.
She put a square of silk upon her head
and hidden in the collars of her coat
she felt her way along the white-washed walls.
The road became a dim knife.
She had no plan
but instinct neighed around her
like a pulling horse.

2.
Moulded to a wedge of jet
by the wet night, her black hair
showed one grey rib, like a fine
steel filing on a forge floor.

Gág dhomhain amháin ina clár
éadain, snoite ann le fuath
ag scoilteadh cearnóg a cinn,
sreang péine greamaithe go dlúth.

A malaí tanaí mar lorg pinn
buailte go beacht, cruinn ar phár
ribe i ndiaidh ribe go slím
– obair shaoir ghlic gan cháim.

Bhí a srón róchnámhach, nocht
is a haghaidh bhocht mar aghaidh scáil:
le gáire aerach ní théadh
rós a polláirí riamh i mbláth.

Bhí réaltaí beaga óir
i ngormlóchrann a súl,
súile a pósadh ar mhaithe le spré
is nach bhfuair ach mórfhuath.

Bhí líne álainn ar a beol
uachtar mar órchlúmh bog éin:
i mborradh ramhar an bheoil
íochtair shoilsigh deoir an léin.

Smig agus giall mín nár lag;
cnámha teannmhúnlaithe faoi shnua,
cnámha beaga, lúbacha, briosca
mar chloigeann fiosach madra rua.

Bhí a scornach bhán gan rian
gan roic na haoise, gan líon
féitheog; gan fealltóir mná
le feiceáil sa cholún mín
Bhí gach ball eile clúdaithe faoi dhubh-olla a gúna.

One deep line, cut by silent
days of hate in the expanse
of sallow skin above her brows,
dipped down to a tragic slant.
Her eyebrows were thin penlines
finely drawn on parchment sheets,
hair after minuscule hair
a linear masterpiece.
Triangles of minute gold
broke her open blue of eyes
that had looked on bespoke love,
seeing only to despise.

Her long nose was almost bone
making her face too severe:
the tight and rose-edged nostrils
never belled into a flare.
A fine gold down above the
upper lip did not maintain
its prettiness nor lower's swell
make it less a graph of pain.
Chin and jawline delicate,
neither weak nor skeletal:
bone in definite stern mould,
small and strong like a fox-skull.
Her throat showed no signs of age.
No sinews reinforced flesh
or gathered in clenched fistfuls
to pull skin to a lined mesh.

The rest was shapeless, in black woollen dress.

3.
Scoilt ding phrásach na soilse
    dorchadas na sráide:
leathscáth fir i leath na dinge ann
clúmh a shróine ina ngasa órga
gruaig a chinn ina coirníní órga.

Bhí stoda greamaithe i lár a scornaí
le bóna stríocach a léine,
loinnir ann mar dhealg óir.
Sa chistin do tharcaisnigh
gáir chochaill Íde
boladh na blonaige
boladh an loingeáin.

Thit an laiste maide ina nead:
dúnadh an doras gan oscailt
go bráth.

4.
Ní raibh de bhainis ann
ach anraith is arán.
    Luíodar chun codlata
    gan Bhíobla, gan ola:
    lámh an fhir go dlúth
    mar ghearrcach i nead a gruaige.

B'in an codladh a bhí sámh,
    a uchtsan ar a hucht
    a lámhsan ar a láimh
    tar éis aithne is eolas corp:
codladh gan chuimhne ar phósadh fadó
codladh an phósta nua –

3.

Door opened halving darkness bronze
and half an outlined man
filled half the bronze.
Lamplight whipped upright into gold
the hairs along his nose,
flowed coils of honey
around his head.
In the centre of his throat
clipped on his blue-striped shirt
a stud briefly pierced a thorn of light.
The male smell of the kitchen
engulfed her face,
odours of lost gristle
and grease along the wall:
her headscarf laughed a challenge,
its crimson wrinkles crackling.
He knuckled up the wooden latch
and closed the door for many years.

4.

Great ceremony later causes pain:
next year in hatred and in grief, the vain
white dress, the bulging priest, the frantic dance,
the vowing and the sickening wishes, land
like careful hammers on a broken hand.
But in this house no sacred text was read.
He offered her some food: they went to bed,
his arm and side a helmet for her head.
This was no furtive country coupling: this
was the ultimate hello, kiss and kiss

gan rince, gan ól
gan sagart ramhar, gan sról
gan bhagairt, gan gheall, gan mhóid.

Ach bhí aíonna ann gan chuireadh:
drantán dian an spioraid naoimh
grig-grag na gclog, breall na n-easpag
ag cogarnach as éad faoi leaba a síochána.

5.
Gíog leathair ata,
giolcadh éin ar fán.
Imeall a brait
ag titim síos
sa dorchadas,
eas anairte ag sileadh
le gach taobh léi.

Ceol na húma,
luascadh ama,
bualadh na gcrúb
ar bhóthar.

Gach racht tinnis chlainne
ag teacht mar dhorn
mar mhasla ón mbaile
is í i bhfolach faoi bhrat
le dhá rúnchuisle.

Ach bhí gach mac máthar
is iníon athar
ag an gcruinniú rúnda seo,
bonn airgid beannaithe ag cách,

exchanged and bodies introduced: their sin –
to choose so late a moment to begin
while shamefaced chalice, pyx, ciborium
clanged their giltwrapped anger in the room.

5.
The swollen leather creaks
like lost birds
and the edges of her shawl
fringe down into the dark
while glaciers of oilskins drip around her
and musical traces and chafing of harness
and tedious drumming of hooves on the gravel
make her labour pains become
the direct rebuke and pummel of the town.
Withdrawing from her pain
to the nightmare warmth
beneath her shawl
the secret meeting in the dark
becomes a public spectacle
and baleful sextons turn their heads
and sullen shadows mutter hate
and snarl and debate
and shout vague threats of hell.

The crossroads blink their headlamp warning
and break into a rainbow on the shining tar:
the new skull turns in its warm pain,
the new skull pushes towards its morning.

iad lán de ghrásta
is d'íde béil,
ag spréachadh uisce Dhomhnaigh.

Tinte rabhaidh
le hais gach crosaire,
solas mar thua cheatha bhriste
ó tharra an bhóthair.

Ní raibh faic le cloisteáil
ach
forbairt na blaoisce nua
sa nead nimhneach
feitheamh na blaoisce nua
le héirí na maidine.

6.
Och, a linbh bhig chompordaigh
a chraiceann an bhainne is na n-úll,
ná téir amach as an seomra
ach fan ag comhrá liom i do chlúid.

Mar tá colm ag teacht is bláth
ina ghob – tá boladh cumhra ann:
cloisim anois an cholmghríobh
ag iarraidh tú a mhealladh anonn.

Cloisim anois os cionn ár ndúna
cogar an chlúimh ag tuirlingt
an colm seo naofa, binn, bán
ní gob atá air ach tua.

6.
O my small and warm creature
with your gold hair and your skin
that smells of milk and apples,
I must always lock you in
where nothing much can happen.
But you will hate these few rooms,
for a dove is bound to come
with leaves and outdoor perfumes:
already the talons drum
a beckoning through the slates,
bringing from the people words
and messages of hate.
Soon the wingbeats of this bird
will whisper down in their dive:
I dread the coming of this dove
for its beak will be a knife

Och, má thréigeann tú an nead
gan agat uaim ach gean mo chroí
fágfar gan trua gan ghrá
do choirpín álainn ar shliabh.

7.
Lorg gealghlas gach coise san fhéar
i bpáirc bheacán aolmhar na ré,
púscadh an aoiligh the faoi mo bhonn
ag sleamhnú mar shíoda donn trí mhéara,
taibhse bainne bó bleacht do mo ghoin –
gach uile thaibhse do mo ghoin –
anseo i mo sheomra lom.

Ach uaireanta
titeann láib ghoirt óna bróga,
lasracha glasa an fhéir inti
nó coirceog shíolfhéir ar nós scuaine órga
as cába a cóta mhóir
nó steallann saghdar as úlla meirgeacha
nó lúbann dealga cuilinn mar ingne cait ghlais . . .
sea. Tá m'fhuinneog dall
is tá súile na bhfuinneog naofa
á brath siúd go teann:
níl anseo ach dorchadas buan.

Ach bíonn aislingí geala
do mo bhrathsa seal
ó gach uile chúinne ann.

8.
Anocht cuirfead éadach corcra
        éadach dearg
        éadach bán
ar an seilf

and if you leave armed with my love
they will tell you what you lack:
they will make you wear my life
like a hump upon your back.

7.
. . . each footprint being green in the wet grass
in search of mushrooms like white moons of lime,
each hazel ooze of cowdung through the toes,
being warm, and slipping like a floor of silk . . .
but all the windows are in mourning here:
the giant eye gleams like a mucous hill.
She pictured cowslips, then his farmer's face,
and waited in a patient discontent.
A heel of mud fell from his garden boots
embossed with nails and white-hilt shoots of grass
a hive of hayseeds in the woollen grooves
of meadow coats fell golden on the floor,
and apples with medallions of rust
englobed a thickening cider on the shelf:
and holly on the varnished frames bent in
and curved its catsharp fingernails of green.
The rooms became resplendent with these signs.

8.
I will put purple crepe and crimson crepe
and white crepe on the shelf

agus cloisfead na coinnle ag canadh
o salutaris hostia.
Níor thugas masla do Dhia riamh:
thugas masla do chótaí Domhnaigh
   do chochaill lása
   do hataí dubha
   do bhailiú na bhfiacha
   do ghliogarnach paidríní.

Anocht lasfad lampa an Chroí Ró-Naȯfa
agus chífead é ag deargadh
mar úll beag aibí
ansin i gcoim ha hoíche
chífead úsc na gcoinnle
á fhí ina théad búclach bán.

9.
Rince na gcomharsan
   ag ionsaí na tairsí –
briseadh ceol a gclocha
   in aghaidh an dorais,
clagairt a maslaí
   ar na slinnte:
ciúnas, casacht.

Fuaim chúlaithe an ghráscair
   cúlú a n-arm
   éalú na laoch
   chun athchruinnithe:
   na tithe féin
   ag gluaiseacht chun tosaigh
   díon ar dhíon
   ag feighil is ag feitheamh
   le creachadh an tí,

and watch the candles cry
o salutaris hostia.
I will light the oil lamp till it burns
like a scarlet apple
and watch the candlegrease
upon the ledges interweave
to ropes of ivory.
I have not insulted God:
I have insulted
crombie coats and lace mantillas
Sunday best and church collections
and they declare my life a sinful act:
not because it hurts
the God they say they love –
not because their sins are less–
but because my happiness
is not a public fact.

9.
In rhythmic dance the neighbours move
outside the door: become dumb dolls
as venom breaks in strident fragments
on the glass: broken insults clatter
on the slates: the pack retreats,
the instruments of siege withdraw
and skulk into the foothills to regroup.
The houses nudge and mutter through the night
and wait intently for the keep to fall.

í féin istigh go scanrach
ag cosaint a saighdiúirín
ó uaill leaca na sráide,
ó shúile dearga na *yeos*.

She guards her sleeping citizen
and paces the exhausting floor:
on the speaking avenue of stones
she hears the infantry of eyes advance.

An Phurgóid

do Arthur agus Vera Ward

Faic filíochta níor scríobh mé le fada
cé go dtagann na línte mar théada damháin alla –
prislíní Samhna ag foluain trí gharrán:
an scuaine meafar ag tuirling orm,
na seansiombailí – 'an spéir atá gorm,
póg agus fuiseog agus tuar ceatha' –
ábhar dáin, a bhás is a bheatha.

Anois ó táim im thiarna talún
ar orlach inchinne, ní dheinim botún
ach cuirim as seilbh na samhla leamha –
na hinseacha meirgeacha, na rachtanna lofa,
cabhail is tagairt is iad go tiubh mar screamha
ar an aigne bhán, ar an anam folamh.
Sea, tagann an tinfeadh, ach níl mé sásta –
clagairt poigheachán seilide atá fágtha
is carn crotail ciaróg marbh é,
an dán millte le baothráiteas
tá ag sú na fola as ealaín ársa
mar sciortán ar mhagairle madra.

Caithfidh mé mo chaint a ghlanadh is a fheannadh
nó gan phurgóid titfidh trompheannaid –
ní bheidh i ndán ach gaoth is glicbhéarla
is caillfidh mé mo theanga dhaonna.

Aoibhinn damhsa ógfhile i measc na leabhar
ach is suarach rince seanfhile balbh bodhar –
an geocach i mbrat tincéara,
an cág a ghoidfeadh bréagfháinne,
an chathaoir bhacach i siopa siúinéara,
is béal gearbach striapach na sráide.

The Purge

For ages, not one scrap of verse
even though lines glide like webs –
November dribbles afloat in groves –
and metaphors alight in droves:
old symbols 'and the sky is blue
kisses larks and rainbows too,'
poetry's pills that either kill or cure.

Since I am the landlord now at last
of an inch of brain, I must work fast
and bid the insipid images go hang –
rusty hinges, rotten rafter-wood –
the scum of illusion and harangue
on the white mind onthe empty soul.
Yes – *inspiration* comes – but to no avail
(rattle of abandoned shells of snails
and a heap of dead beetle-husks)
the poem's ruined by waffle that sucks
the blood out of the ancient craft
like ticks that batten on a dog's balls.

I'll have to clean and flay my talk –
without a purge great penances will fall,
my poems become mere clever wind and noise
and I will lose my human voice.

Joyfully young poets dance among their books
but daft the dance of old poets deaf and dumb –
those mimics in their tinkers' shawls,
those bauble-stealing crass jack-daws,
those carpenters of crippled chairs
those scap-lipped brassers, streetwise, on the game.

Mairg don té dhein an chéad chomparáid
idir an t-éan agus fear cumtha dán:
do thug sé masla do chlúmh is táir –
go dtite cac Éigipteach ó thóin fáinleoige air.

Aoibhinn don ghearrcach cantaireacht is foghlaim
ach is ceap magaidh an rí rua 's é ag aithris ar riabhóigín:
féachaigí ar ár n-éanlann dúchasach,
gach cás le clúmh is fuílleach clúdaithe,
na neadacha déanta de bhruscar na haoise
is éanlaith ann ag cur cleití go bhfreasúra.
Tá fáilte ag cách roimh sor an chlú ann
ach cailltear na seanóirí is iad aineolach
is gan acu ach deasca is dríodar.
Lasmuigh den leabharlann stadann an rince
is tréigeann siad neadacha an ghlórghránna
le hanamacha folamha, le haigní bána.

Éist aríst leis – clagairt cloiginn mo sheanmháthar
ar an staighre: cliotaráil easna m'uncail
im phóca (an siansa cnámh so) –
béic an tSagairt is scréach an Bhráthar –
an t-anam goilliúnach i súilibh m'athar:
laethanta m'óige (an cogar glórghránna).
Mórshiúl dorcha mo ghaolta am leanúint,
Uncail Urghráin agus Aintín Ainnis:
adhraim iad go léir is a seanchuilteanna
mar bíonn ar fhile bheith dílis dá fhoinse.
Caitheann sé muince fiacal a mháthar
is ceanglann sé leabhair le craiceann a dhearthár –
cruthantóir seithí, adhlacóir is súdaire.
Is peannaid shíoraí an oscailt uaigh seo –
bíonn na filí sa reilig gach uair a' chloig
ag troid ar son cnámh le rámhainn is sluasaid –

Pity him who first compared
a poet to a bird:
he insulted plumage to the skies –
swallows' droppings blind his eyes.

The fledgling likes to learn singing
but the finch's a fool to ape the pipit.
Look at our native aviary now –
each cage feather-full and fouled,
nests made of the ages' leavings,
each bird moulting, each bird peevish
making the louse of fame most welcome
and the old ones die in ignorance.
Outside libraries music stops, and dance,
and the young desert the nests of noise
with empty souls and whiter minds.

Listen again – my granny's skull rattles
on the stairs, my uncle's ribs clatter
in my pockets (symphony of bones).
Roar of priest and shriek of friar,
the hurt soul in my father's eyes:
my schoolboy days (loud undertones).
It dogs me still, my kindred's dark parade –
Uncle Loathing, Auntie Anguish wait.
I adore them and their ancient quilts –
the poet faithful to his springs.
My mother's teeth around my neck are tied
and I bind my books with my brother's hide –
undertaker, tanner, taxidermist, I.
An endless penance this robbing of graves,
poets in graveyards every day
fight over bones with shovel and spade:

duine is snas á chur ar phlaitín a dheirféar aige
duine le bhroinn a rug é a' scríobadh cruimh aisti.
Gach dán ina liodán, marbhna nó caoineadh
is boladh na nglún fuafar ag teacht ó gach líne
is timpeall muiníl gach file, lán d'iarsmaí seirge,
tá taise a athar, a chadairne chóirithe.

Níl sa stair ach roghadhán Ama
tá na céadta dán ann ach tá an t-eagarthóir ceannaithe,
fualán rí nó giolla aigne ghamail –
níl stair ag éinne ach an fear tá smachtaithe,
í ina cruit ar a dhruim aige, fáth a bheatha –
is labhrann sé gach lá le daoine go bhfuil cáil orthu.
Nach iontach an rud é bualadh le Plato
nó ól sa tábhairne le Emmet, an créatúr?
no bheith go minic le Críost ag plé ruda?
Nach iontach crá sólásach an údair
is é ag smaoineamh ar bhás na milliún Giúdach?
Is í ar gcruitne is ár mbunábhar
is ungadh ár n-anam is ár n-aigne mbán í –
ár n-aigne a smaoiníonn ina bochtanas
ar chiúnas, ar chamadh is ar choirp mharbha.
Níl sa stair ach ceirín neascóide
ag tarraingt an bhrachaidh is réama an éadóchais
ag draoibeáil ár n-aigne bán le téamaí
ag glaoch orainn ón dorchadas don chéilí
chun guairneáin, chun luascadh, chun éaló
ar ais don chúinne le aigne aonair –
is meathann na hairdfhir, Críost is Plato,
is fágtar an file is a anam folamh
chomh huaigneach le cailís faoi thalamh.

Mar fhionnadh luiche i mbéal cait
        nó téachtán fola ag lorg cinn

one polishing his sister's kneecaps clean
one scraping grubs from his mother's womb,
their poems laments and litanies.
Round every poet's neck, with wrinkled relics packed,
hangs the tanned scrotum of his dad.

History, the selected verse of time.
Hundreds of poems but the editor's bribed.
King's pimp or gillie to a moron –
no one has history except the poor man:
like a hump on his back his reason for life
and he speaks each day with the famous.
Isn't it grand to meet with Plato
or drink with Emmet, the darlin' of Erin?
or have a chat with Christ the Saviour?
Oh the sad solace to the poet's views
when he thinks of the deaths of millions of Jews.
It is our hump and our poems' goal,
ointment for the mind and soul,
our poor brains that are thinking yet
on quietness, crookedness and death.
History's a poultice on a boil
that draws out the despairing pus inside
clouding our minds with themes at secondhand
calling us from the darkness to the dance
to waltz and swing and to escape
back to the corner with lonely minds.
When the great men fade, like Plato and Christ,
the poet is left with his empty mind
as lonely as a chalice in the soil.

Like mousefur in a cat's mouth
        or a bloodclot exploding out

bíonn na bánmhiotais ag siúl
    i bhféithe na bhfilí gcríon:
Icarus, Meadhbh is Críost –
    sea, an Críost a d'éag
chun na miotais ón domhan a scuabadh –
    anois is miotas é féin.
Níl iontu ach gearba an eolais is cancairí sa ghabhal:
súmairí an anama iad, ag sú go teann.
Nuair is tuirseach sinn is scanraithe
    is nuair éagann an fhilíocht
cuirimid na taibhsí bána i dtalamh dóite an ghairdín.

Is é ár mbaothchreideamh go bhfuil siad beo –
na mairbh atá marbh is beidh go deo.
Zéus agus Vénus, finscéalta ón scoil scairte,
líonann siad ár mbolg is múchann siad an tart ann
is an dánocras: ithimid ar ár dtoil
is ligimid brúcht asainn a chloistear san ollscoil.
Bíonn Márs is a sciath aige á spreagadh is ag gáire
(seansaighdiúirí is an tír féna smacht acu
spreagann siad an t-aos óg chun troda is catha).
Slán leis an áilleagán, an tseoid is an bréagán,
slán le Ióbh, le Gráinne is le Daedalus,
le maidí croise is giobail tá ag crochadh sa séipéal
mar shlánadh caorach ar thor tobair naofa.

Ní file go máistir focal, ní file go ceird
ní file go hoiliúint, ní file go fios dán –
gach dán atá ar domhan, a dhéanamh is a cheolsan,
ach seachain na bratacha is clog lobhair an eolais,
seachain bheith id shaoithín is id leabhar beo:
ní file go fios datha, fios deilbhe is ceoil.
Ach ní thig leat dath a scríobh, ná siolla eibhir
a bhreacadh síos – sin gníomh file daibhir.

the white myths walk
       in the old poets' veins
(Icarus and Christ and Maev
       – yes the Christ who died
to drive myths from the world
       and is now mythologised):
just scabs of knowing, chancres there,
       soul-leeches, they suck away.
When we are terrified and tired
       and poetry ebbs and goes
in the burnt garden we bury white ghosts.

And we believe that they're still here –
the dead who always dead will be.
Zeus and Venus, tales in hedgeschools nursed,
they fill our bellies and quench our thirst
and poem-hunger. We satisfy our needs,
our farts are heard in groves of Académe.
Mars with his shield spurs us cheerfully,
old soldiers rule this fair country
and send the young men off to war.
Goodbye baubles, jewels and toys,
goodbye Gráinne, Jove and all those boys –
crutch and clothing hang in chapels
ewe's afterbirth on bush by holy wells.

No poet till the words be mastered,
no poet till the trade be learnt,
all world-verse, its make and music:
but beware the banners, and learning's leper-bell.
Beware the pedant, beware the living book –
no poet till colour till sculpture till song.
You cannot write a colour nor write down
a granite syllable – let that to a poorer throng.

File a phléann fiúg, cuireann sé gaoth le gaoith
is deineann praiseach is prácas as obair na saoithe
ach nuair is bán sinn is folamh de ló nó istoíche
alpaimid leigheas na foghlama siar chun faoisimh
is tuislímid go sonasach go dtí an carn crotaí
ag carbhas go socair i dtábhairne an tsotail –
ach ní beacha sinn tá lán t'réis taisteal círe
ach puchaí atá breoite t'réis foracan géarfhíona.

Ar a ghogaí orm istoíche bíonn an Traidisiún.
Seanrud é is ocrach, lán d'ailpeanna luachra
ag béiceadh 'ógláchas! aicill!' agus 'uaim!'
is gráscar file ag freastal air, ag sá ina bhundún
na mílte méadair leamha, na céadta seantiúin.
Ach: is ionann an mhuc is a máistir
is fé bhrat an tsoir is an tsalachair
tá cneas nach bhfuil uaithi óglachas
ná lón lofa an ghráscair.
Ní córas é tá seargtha, ach cnuasach á athrú
nach n-aithníonn a shagairt (déircigh an chlú)
a chaitheann dánta is daoine isteach ina chraos
is é ag bramadh go cumhra friotal tríd an aer –
túis atá taitneamhach ag a bhaothchléir.
Sea, is baoth na gleannta féin, is leamhársa a bpaitinn:
seachain na fallaí briste, ná héist le haicill aitinn.
Seachain é, an Traidisiún tá bréagach
nó beidh do chneas lán de léasaibh:
ceilfidh sé an file is loitfidh sé a bhéarsaí
is beidh im úr bhur ndántaibh
caillte faoi ghéarshubh airne.

Mise uaigh an dóchais is reilg na fírinne,
diúgaire cáile is alpaire fuílligh.
Ní dheisfidh córas na n-ard braon anuas mo chroíse

Poets writing fugues – wind playing wind –
mocking the works of greater men.
But when we are white and empty
we gulp lumps of learning down.

And we trip happily to the husk heap,
game grandly in the arrogant bar –
not bees full from the honey-comb
but sick wasps glutted on vinegar.

Tradition squats on me at night,
an ancient thing and lizard-like,
shouting 'free verse! alliteration! assonance!'
and poets dance attendance shoving up its arse
all their wilted metres, all their tired verse.
Yet a pig's as clean as its master
and under the dirt and the lousy cap
's a skin that needs no looseness
nor the putrid vittles of the mob.
Poetry's a living system, an anthology of change
unknown to its priests who bum for fame,
and it farts perfumèd phrases through the air,
sweet incense to its silly fawning train.
Yes, even the hills are daft, their patents aged:
avoid all broken walls, all furze alliteration.
Avoid this treacherous Tradition –
it mocks the poets' vocation –
or your skin will be pocked with holes
and the fresh butter of your poems
will be lost beneath the sour jam of sloes.

I am the cemetery of truth and hope
craver for fame, gulper of garbage and lees.
Great systems will not mend my heart's drop-down

ná an poll im anam mar a shileann ann maoithneachas.
Athchruthaím mé féin le cluasa Plato,
le srón Freud, le hordóg Hegel,
fiacla Bergson is croiméal Nietzsche:
na baill a thugann don leathchorp íce.
Tá Buddha plódaithe isteach sa slua ionam,
tá teagasc críonna sean-Lao Tzu ionam:
tinneas goile im anam atá am chrá
is pléasctar mo chorp ina fhearthainn bhláth.
Titim síos le mórchith file –
agus bláthanna gan chumhra iad uile –
le ceannbhán Kant is aiteal Aristotle,
sáiste Schopenhauer: na fealsaimh is a sotal.
I measc na ngas is na ngéag ina gcoillte
bím mar leanbh ar strae i bpáirc iománaíochta:
cloisim an gháir mholta ón slua ann
ach ní fheicim ach na mílte cótaí móra.

Mise Frankenstein agus a chréatúr
de bhaill is fuílleach is seile déanta.

An file ag caint le Dia – an seanscéal san,
an 'mar dhea' ársa, níl a leithéid ann:
ní chreideann aon fhile i nDia ná i nDéithe
cé go gcreideann sé sna naoi mbéithe.
Nuair a éagann sé, éagann a dhia leis,
is éagann ailse, galar ae agus croí leis:
éagann a inchinn is a mhagairlí leis
is éagann eagla roimh an neamhní leis:
éagann an chuilt chlúmhghé sa spéir thuas –
gach fear ina Chríost is an crann réidh dó.
Do Dhia ariamh file níor labhair
cé anamchara Chríost é is é as a mheabhar.
Siúlann sé faoi spéir is tagann áthas iontach –

nor the seep of sentiment into my soul.
I reconstruct myself with Plato's ears,
Nietzsche's 'tache, Bergson's teeth,
with Sigmund's nose, with Hegel's thumb –
bits of corpses that make up my sum.
Buddha in me almost suffocates,
Lao Tzu's wisdom barely holds a space,
juniper of Aristotle, bogcotton of Kant,
sage of Schopenhauer – and such arrogance.
Yet I've a pain with hunger in my soul
and my body explodes in a fall of flowers.
I descend in a downpour of poets –
not one petal has perfume or power.
In this forest of stem and branch
I'm a child lost at a hurling match:
I hear the roars from the crowd's throats
and see nothing but overcoats.

I am Frankenstein and his creature
made of spit, and bits and pieces.

The poet talking to God – that old ruse,
that old story? There's no such thing.
No poet believes in God or Godling –
though he may believe in his muse.
When he dies all gods die with him –
also cirrhosis, angina and cancer,
his testicles die and his brain dies
and his fear of the final answer,
the goosedown quilt in the sky starts fading:
each man then a Christ and the cross waiting.
No poet ever spoke to God
though he's Christ's confessor in his mind –
he feels a wonder under the sky,

triallann sé ar thoibreacha chun comhrá le Bríd ann,
ag lorg a grásta is tinfeadh a póige:
ní file ansin ach ambasadóir é.
Tréigeann sé tír agus tréigeann sé dánta –
cosúil leis an uair do bhí aigne bhán agam
is dheineas iarracht ar chaint leis an Dúileamh
is do chaith na réalta seile i mo shúilibh.

An meafar, máthair na filíochta,
fál an fhile, tiarna na samhlaíochta –
an té a bhraitheann an domhan gan meafar
éagann sé roimh aois a tríocha.
Éist go cruinn leis an méid atá ráite agam –
táim in aois a daichead is seacht gcat báite agam.
Chonaic mé a súile céasta
a bhfiacla feargacha mar réalt tar éis pléascadh.
Ar mo lámh bhí bráisléad fola
is tháinig bolgáin ón éag san fholcadán.
Do thumas isteach i luaith tí an tsúbhachais
is bhí fiacla na gcat dubh ón súiche.
A mheafair, a mháthair, beidh mise id athair:
bí liom le solas is nimh linbh ata.
Ceansóidh mé thú ach beidh mise id chapall,
beidh an srian agam ach beidh tusa id mharcach.
Téann na meafair ar fara le faontuirse
is méadaíonn an diuáin féna chosa
gnáthfhara, gnáthmheafair, gnáthfhile:
ní hionadh go bhfuil na préacháin ar mire
ag stracadh na gcrann, ag bualadh ina gcoinne –
táimid go léir ag lorg meafar,
lán d'ablach, ag cágaíl is ag tafann –
tá cór díobh ag canadh mo ráitis-se:
'daichead bliain is seacht gcat báite agam'.

he walks to wells to talk to Bríd,
seeks her inspiring kiss of grace,
acting the part of poetry's page
deserting verse and his native place
like the time I had a white mind
and tried to talk to the Creator
and the stars spat in my eyes.

Oh metaphor, mother of poetry,
poets' protector, lord of images:
who sees the world without you
dies before reaching thirty years.
I'm forty. I've drowned seven cats.
I saw their tortured eyes,
their angry teeth like supernovae.
My wrist wore a bracelet of blood,
death-bubbles rose in the bath.
I dived into the ash of pubs,
cats' teeth grew black as soot.
Metaphor, mother, I'll father you.
Give the light and venom of a swollen child.
I will tame you, I'll be your horse –
I'll hold the reins, you'll be the rider.
The exhausted metaphors roost,
guano piles up at their feet again
(usual metaphor, poet, roost).
No wonder the rooks go insane
crashing into, tearing the trees
(we all look for metaphors)
all entrails caws and barks
in chorus they quote me,
'forty and I've drowned seven cats'.

Do b'olc é an domhan gan ach dán ann,
do bheadh an bith chomh nocht le fásach:
gan ach eala, lile is rós ann –
ba bhocht iad ár *fauna* is ár *flora*.
Ní bheadh ann ach luisne ildathach,
suairc agus duairc, abhac is fathach.
Má cheiliúrann file an domhan is a anam
is gach atá iontach is annamh
cá bhfuil trácht ar an bpilibín eitre?
Cá bhfuil nead an ghabha uisce?
Mura mbeadh ann ach filiméala,
camhaoir ar maidin is luí na gréine,
ní bheadh againn ach domhan bréagach.
Sinne na leaids a adhrann saoirse
nach bhfuil uainn ach moladh na ndaoine:
sinne na leaids a phulcann na géanna
le coirce dreoite chun ramhrú a n-aenna.
Sea, chailleamar an toghchán ar son ár bpáirtí
is caithimidne éadaí dhein fear nach ceardaí.
Sinne na mangairí a dhíolann cadás in ionad síoda,
sinne do cheap an domhan tá lán de dhreoilíní.

Níl san fhile ach dánta i gcnuasach –
tá gach a raibh ann de idir dhá chlúdach:
is iad a dhánta a fhíorleac –
níl fagtha ach finscéal is tagairt sheasc.
Níl againn ach fios mar lón anama
is ní iarrann an Bás uainn tada
ach sinn féin amháin agus méid ár bhfeasa.
Caitheann an fear cróga eolas uaidh go flúirseach
nó éiríonn sé faitíosach, uaigneach
is titeann na soip do ghoid sé ó dhaoine
is tagann an braon isteach tríd an díon air
is ní folamh ansin an t-anam rólíonta

Imagine a 'poetic' world,
a world as naked as a desert,
full only of lilies, swans and roses –
such paucity of *fauna* and *flora*:
nothing but multicoloured plants,
dwarfs and giants, happys and sads.
If poets celebrate world and soul
all that is most wonderful and rarest
where are the cranefly's eulogies?
Where is the hymn to the dipper's nest?
If all we had are nightingales,
morning dawn and setting sun,
our world would of worlds be falsest.
We're the lads in love with freedom
(what we want is love from the people),
we're the lads that fatten geese up
with parched oats to swell their livers.
We lost the election for our party,
are clothed by incompetent men.
We're pedlars who sell silk (it's cotton) –
we have invented this world of wrens.

A poet's merely his collected poems
complete and bound in skimpy tomes,
his verse his one true monument –
the rest's a mythic referent.
We have but knowledge for *viaticum*
and death demands this simple sum:
all of our selves and all we know.
The wise man scatters all his wit
or, lonely, fears the weight of it
or the straws he gleaned from other men
with drop-down from the roof comes in
and then the soul with dross is crammed,

is cruann an tuí is múchtar na soilse
is ní bán é anois an aigne bhí riamh bán.
Bás a fháil gan eolas atá pearsanta
fíordhorchadas is ifreann ceart é:
eolas aonda a thabhairt don domhan
sin an t-aon síoraíocht atá ann.
Bás cáig, sin bás gan aon agó,
nead a loitear in anfa an fhómhair.

Níl sa ráiteas ach dán gan bhod –
ceiliúr nó sluaghairm – sin a chualamar.
Iomann don oifigeach mhustrach í –
fadó, ba Róisín Dubh ár dtír,
inniu ina taoiseach nó ina heasóg le púicín
nó trá ghainmheach le héin lán d'íle.
Sluaghairm tá uaithi anois is ní hiad dánta
ná amhráin ach an oiread, ach baothráiteas.
Is ceart don fhile bheith tréatúrach ina dhántaibh
ach bheith ina laoch is gunna ina láimh aige.
Ní fiú broim an dán sa charcar,
ní dhingfidh sé clogad, ní stopfaidh sé urchar:
ní chothóidh sé éinne in am torthaí lofa,
ní bia sa chorcán é don chlann sa ghorta.
Go raibh gorta is cogadh ar na staraithe go deo,
go raibh na dánta tírghrácha ag an bpopstar ghlórach
Níl tír ag file ach amháin an Ceart,
níl muintir aige ach ualach taibhreamh.
Is féidir leis mealladh is múscailt is cáineadh
le focail nach fiú cannaí stáin leis.
Go léime buataisí ar an gcloigeann
a dhéanann dearmad ar chontúirt na hintuigse.

Nach ait é an créatúr an duine daonna

thatch hardens and the lights are dimmed.
To die without opinions is
the real hell and the real dark:
to give the world one unique fact –
that's the one eternal act.
The jackdaw's death is a final thing,
its nest destroyed in the fruitful wind.

A statement is a prickless poem –
celebration, war-cry – so we're told –
a hymn to high officialdom.
Once our land was a little black rose –
now she's a pack of blindfold weasels,
a beach full of oil-clotted seagulls.
She wants no poems now but reasons,
no songs even but fatuous sayings.
A poet's right to be a traitor,
to be a fighter, a hand-grenader.
A poem in prison's not worth a fart –
it stops no bullets, splits no hard-hats,
feeds no child when all crops rot,
puts no food in the famine pot.
May all historians fight and starve,
may patriot songs be sung by popstars.
Justice is the poet's only land,
he has no people, only plans.
Coax he can, attack, spur on
with words not worth one tin can.
May jackboots jump upon the skull
of him who forgets the dangerous understandable.

Humankind's a strange beast –

a chreideann i ndia is i ndiabhal le chéile,
a bhíonn ag gabháil le cogar cianach rúnda:
'bás agus beatha agus grá agus fuath'.
Do dhún na blianta mogaill ár súl
is 'tagann catha', is 'buíochas le Dia' uainn
is múineann dream na heaglaise umhlaíocht dúinn –
'an cogadh cóir' a sheanmóin, is an grá!
Do cheapadar an deoch suain is éifeachtaí atá –
an Uilíoch nó uile-íoc ár bpian.
Do dhein an Uilíoch naíonáin dínn,
do dhein sé steancán as ár litríocht,
do dhein sé paidir as seandán camhaoire
is leanaimid go meata é le binnscríbhinn –
ag síorlorg dide na clochaoise.
Tiocfaidh cogadh mar creidimid i gcogadh fós:
is sólás iontach é an cogadh a bheith romhainn –
is é ár rogha dide é, an cogadh dána:
mar is Uilíoch é, gnáthrud gránna.

Cuir im ar m' arán, im na cáile,
is subh éachtach déanta as fuil mo chairde.
Is annamh an rud é file atá macánta,
slíocann sé an searrach a mholann a dhánta
is sánn an t-ainmhí fiacail i gcroí a láimhe.
An cine, an mhuintir agus an treabh –
moltar is cáintear iad mar is ceart,
ach níl cara daonna sa pharlús scáfar
ach amháin braitlíní mar thaiséadaí bána
mar bhrat ar arrachtach nó ar thábla.
Is féidir le file a shaol a líonadh
le clann, le cairde is le dea-dhaoine
ach níl réiteach a cheiste móire ag éinne acu:
muna bhfuil gá le filíocht cén fáth go bhfuil filí ann?
Aonarach is tréadúil, ar a chiall nó as a mheabhair

in god and devil both it believes,
it spreads in woeful, secret sayings
'death and life, love and hatred'.
The passing years have made us blind
We say 'war is certain', 'God is good'.
The Church tells us to be 'humble in life',
preaching 'just wars' and pushing 'love'.
They invented the finest sleeping-draught,
the *Universal*, cure for all.
This Universal has made us daft,
let our literature go to the wall,
turned our *aubades* to 'holy' piffle
and we follow with sweet scribbles
seeking some Stone Age nipple.
War will come, we believe in War –
like a solace its certain coming.
We will tweak the nipple of War –
it's a *Universal*, and ugly thing.

Butter my bread, butter it with fame,
with fatal jam from friends' blood made.
An honest poet is the rarest thing
(he currys the foal that praises him).
Kindred and people and the tribe
he praises, blames, as is right.
But in frightening parlours – no human host,
just sheets like white shrouds
covering tables up or ghosts.
With friends a poet can fill up his life,
with family, good men and wife –
but which of them can answer this:
if poetry's worthless why do poets exist?
Solitary, gregarious, off his head or sane,

caite ó chothú na cuaiche ina cheann:
saineolaí formaid ag mealladh go teann
gach drochmheas is fonóid atá ar domhan:
ag tairiscint bronntanas is bróid i measc na sluaite
le hais na dtaiséadach is an troscán olc-iontach
i bparlús a chloiginn ag gol is ag caoineadh –
gan cara aige, gan treabh, gan mhuintir.

Is francach í an fhilíocht gafa idir fhiacla,
fiacla na tagartha, fiacla na haidiachta.
Is nimhneach iad araon, go háirithe an aidiacht
bhinnghlórach: bíonn smólaigh Mumhan ag screadaíl
amhrán mar chac gabhair ar dhruma.
Ón aidiacht tagann ainm lag tar éis cumaisc –
is ospidéal máithreachais gach dán do chumas,
ainmneacha ina n-othar ann is iad ina máithreacha,
is an tUasal Ó hAidiachta ag feitheamh le dul-in-airde.
Tóg an speal chucu, gearr is bain iad,
déan carn cáith díobh, is cuir é tré thine
is chífidh tú tríd an deatach muid – is ainmneacha sinne.
Ní glas é crann ar bith, is crann é, do chuala –
is rud é crann, is ainm: níl sa 'glas' ach tuairim.
Ach seachain tú féin, a spealadóir,
tá pairc mhaol dán lán de bhallghleo:
tabhair cabhair don fhilíocht, scaoil a bóna
is lig don ainm anáil a thógaint.

Do chuaigh critic amú i ndán uair amháin:
ní fhaca sé aon suaitheantas ann.
Do bhrúigh sé gach míne ann faoi chos –
chuala mionbhrioscarnach: thosnaigh sé ag gol.
Thosnaigh sé ar a dhia a ghuí,
d'iarr sé cabhair ón ollscoil is a taibhsí.
'Díreach ar aghaidh' do fhreagair, 'go líne fiche naoi'

exhausted from feeding the cuckoo in his brain,
an envious expert always paying court
to his only contemptuous world,
offering his gifts and pride to the crowd.
But alone, with grotesque chairs and shrouds,
he cries in the parlour of his mind
without a kindred, friend, or tribe.

Poetry's a rat caught in fangs –
allusive, adjectival teeth.
Adjective is most poisonous,
a noise deceptive and most sweet.
All the thrushes of Munster screeched
(goat-dropping on a drum).
Adjective screws Noun against a wall:
each poem I write is a hospital
full of pregnant nouns
and Adjective impatient there ready to remount.
'Take scythes to him and cut him down,
burn that chaff-heap to the ground!
You will see us through the smoke, just Nouns.'
No tree is green – a tree's a tree,
a thing, a Noun – 'green' is an opinion.
But guard yourself, scythe-bearer,
a poem-field is full of limbs and cries –
assist the poem, yes, – undo its tie,
help the Noun to breathe or it will die.

A critic once got lost in a poem.
He saw no signposts there marked 'Home'.
Every subtle thing he swept aside –
he heard the brittle noise and wept.
He started to implore his god,
called on some academic ghost.
'Straight on,' they said, 'to line one-o-two,'

is do bhí a chomhartha ann, tagairt do Dante:
d'aimsigh sé a shlí amach is an dán do mhol sé.
Ní fhaca sé an cheird ná an snas bhí ann
ná na rudaí rúnda míne bhí lán de chumhacht –
ach amháin an suaitheantas gan slacht.
Bhí a chompás gan tairbhe insan áit
nach raibh aon tuaisceart ann le fáil.
Cad is critic ann, in ainm Bhríde bheo?
Nó an bhfuil aon 'chomhchoibhneas oibiachtúil' ann dó?

Cad tá fágtha nuair a chríochnaíonn an píobaire?
Dríodar, seile, macalla is triacla.

Bhuel, tar éis sin uilig, tá an fhadhb fós fágtha:
an dán a mhairfidh, an mbeidh sé daonna?
Brisim mo riail féin mar ní riail é
ach úim bheithígh de leathar déanta,
ceangailte ormsa, miúil na héigse.

Is seo í Éire, is mise mise.
Craobhscaoilim soiscéal an neamhaontaigh.
Obair ghrá is ealaíne, sin an méid a éilím
chomh folamh le nead gabha uisce
chomh bán le bolg gé.
Bóthar an fhile gan chloch mhíle air,
bóthar gan stad in óstan an ghrinn air,
bóthar le luibheanna gan aird air
ag bogadh go ciúin ó na claíocha áilne.

where he found a Dantean allusion-post.
He got home and praised the song.
He saw no craft or polish there,
no fine concealments, delicate and strong,
just a clumsy sign that got him out.
His compass was no use in such a place,
a land where there was neither north or south.

What's a critic, in living Bridget's name?
Will 'objective correlatives' explain?
What is left when his piping ceases?
Dregs and spit, echoes and treacle.

Well, after all that, the riddle remains:
will it be human my final song?
I make and then I break a rule –
mere harness made of trace and thong
tackled on this poetic mule.

This is Ireland, I'm myself.
I preach disunion and unrest,
demand a work of love and skill
as empty as a dipper's nest.
There are no milestones on the poet's road,
no glad hotels on either edge,
just a track with worthless herbs
sprouting quietly from a lovely hedge.

Iarmharáin

do Niall

Ní raibh aon Chaisleán Nua ann
ach uisce mar bhileog stáin
ag lí inbhir nua sa talamh ard.
Sa cheo dearg bhí beann
Chnoc Fírinne le fáil
ach ní raibh aon túr ná spuaic
os cionn bailte na máighe.
B'oileán gach fearann –
taise na bparóistí báite.
Sheasamar gan ghíog,
slua go ciúin ar shochraid
fir gan chairde.

Do thumas m'aghaidh san uisce
's chonac i dtáipéis gharbh
gach iarsma dem óige,
mo ghé mo mhuc mo tharbh,
ag foluain thart sa ghlóthach ghlas:
mhéadaíos an t-uisce lem allas.
Chonac an bruscar daonna,
é ata, ag foluain thart,
's ina measc, ag lobhadh,
a gcoirp dall agus balbh,
mo mhuintir 's mo mháthair
i rince mall na marbh.

Lá amháin chualamar ceol,
ceol ár ndóchais.
Lasamar tinte ar mhullaí,
líonamar prócaí.
Dar linn gur chualamar ceol na mbeo –

Survivors

for Niall

No Newcastle West
but water like a sheet of tin
licking new inlets
in the high ground.
In the red fog the top peak
of Knockfierna is descried
but no tower or spire
over the lost towns –
no townlands only islands
remains of parishes drowned.
We stood soundless
like a crowd at the grave
of one who had no saving grace.

I plunged my face in this sea
and saw in rough tapestry
the relics of my youth
my pig my bull my goose
floated in the green glue.
I added sweat to the flood
and the human refuse
floating bloated by
and amongst it, all decay,
their bodies dumb and blind,
my mother and my tribe
in death's slow dance.

One day we heard music,
it gave us hope.
We lit fires on hillocks,
filled food-crocks.
We thought some still lived

ach ní raibh ceo sa cheo ach ceo.

Bhí feoil choinín 's úscfheoil bhroic
anraith as samhadh déanta
plúr brioscláin 's mil ó chrann
ullamh againn chun féasta.
Sheol an ghaoth chughainn ceol na mbeo –
ach ní raibh ceo sa cheo ach ceo.

B'fhéidir nach raibh sa dorchadas
ach bradán ag snámh i gcloigtheach glas
gur bhuail a ruball boschrann cloig
gur tháinig an bhúir chughainn anoir.
Ná héist le géim na máighe níos mó:
níl ceo sa cheo ach ceo.

Thit oíche ársa orainn,
thit oíche ársa orainn arís:
mar cheárta iargúlta
solas lag gach tí.
Thit orainn clóca an anó –
mar úll fé bhainne
an ghrian um ló.
Mhéadaigh ualach ár dteannta,
thit báisteach go tiubh:
dúnadh na gleannta
mar cheathrúna capall dubh.
Bhí an ciúnas mar chroí portaigh;
buaileadh bodhrán.
Leag saighead corriasc,
thóg duine ráth.

but there was nothing
in the mist but mist.

We had rabbit meat fat badger-meat
soup made of sorrel
silverweed flour and honey from trees
ready for their feast.
Again music came on the wind
but there was nothing
in the mist but mist.
Perhaps out in the dark
in a green belfry drowned
a salmon's tail
hit the bell's tongue
and we heard the sound.
Listen to the plain no more:
it's only mist in the mist.

Nights – and ancient nights
fell on us.
Like far-off forges
our houses weak lights.
Distress cloaked us –
like an apple in milk
the sun by day.
Our straits increased,
heavy rain came –
the glens closed ranks
like black horses' flanks.
Silence like a bog's heart:
a tambourine rattled.
An arrow felled a curlew,
someone built a fort
in case of battle.

Tá maidin luibheach ár ré linn:
níl againn ach síolta 's scileanna,
tá gá arís le tuí is scolb
mar tá na hinnill gan fuinneamh.
Tá salann ar na cranna,
tá sáile na mháigh –
ach ní fir naomhóg sinn
ná fir bád.

It is our herbal morning:
we have nothing but seed and skills.
Again we need thatch and twigs:
all machines are obsolete.
There's salt on the trees,
saltwater in the fields –
but we are not boatmen
nor sailors of the sea.

Comhairle

Ná creid choíche
go mbíonn an dán gafa
tar éis a bhreactha síos,
nó gafa, mar fhalla le brící
nó mar theocht brúite fé dhíon,
greamaithe fé gach slinn.

Is crobhaing fhíonchaor gach dán,
i ngaiste go corrach i gcraiceann tanaí
ar tí pléascadh amach ina shúlach beo,
ar tí pléascadh amach ina mheisceoireacht.

Advice

Never believe
the poem's caged
once written down
or captured as a wall's with bricks
or heat beneath a roof
trapped by the slates.

Each poem is a bunch of grapes
that thin skins restlessly press –
about to explode in a living juice,
about to explode in drunkenness.

Foighne Chrainn

do Nuala

Bhí scian ag feitheamh leis i Londain
i ndrár sa dorchadas,
i bpóca sa dorchadas,
é ag pleidhcíocht,
ag cleasaíocht
's ag magadh –
do chonaic sé scál na sceana.
Do dhóigh sé crann na heagla
's chuaigh sé thar farraige
ach bhí scian ag feitheamh leis
i Londain
i nglaic sa dorchadas
i ngleic sa dorchadas.
Bhí an scian roimhe ann
's cé gur mhiotal í an lann
snoíodh an fheirc as díoltas crann.

Patience of a Tree

for Nuala

A knife awaited him in London
in a drawer, in darkness
in a pocket, in darkness.
Fooling,
tricking,
mocking –
he saw the phantom knife.

He burnt the tree of fear
and went across the sea
but a knife waited in London.
In a hand, in the darkness
in a fight, in the darkness.

The knife was waiting there
and though metal formed the blade
from a tree's revenge
the hilt was made.

Gné na Gaeltachta

i.m. C.M.

Sea, iad so na carraigeacha,
is iad so na botháin bhacacha –
tá seantaithí agam ar an áit seo:
feamainn ar na clocha
mar chróch báite,
linnte lán de mhíolta corcra,
éan ann chomh dubh le hocras.
Sea, is iad so na seansléibhte
atá anois déanta de bhréidín
(seantaithí agam ar an nGaeltacht –
duine mé de na stróinséirí).
Sea, is iad so na haighthe
d'eibhear déanta,
aighthe Atlantacha, creimthe le mórtas:
tá seantaithí agam ar na haighthe –
lán de shotal is d'éadóchas.
Sliabh, carraig is aghaidh – an buan iad?
Leathnaíonn criostal an tsalainn iontu
's pléasctar gach scoilt go smúit –
an salann, is sioc é gan séasúr,
an salann, tá sé buan.
Má mhaireann an charraig
go deireadh an domhain seo
mairfidh aghaidh áirithe
liom go lá mo mhúchta.
Na réalta bheith dall, an ghaoth bheith balbh,
raghaidh an ghné sin liom sa talamh
is eibhear a scéimhe millte le salann.

The Gaeltacht Face

i.m. C.M.

Yes, these are the rocks,
these the crooked cottages.
I knew this place well,
kelp on the stones, oh yes –
like drowned crocuses:
pools full of purple creatures,
a bird as black as hunger is.
Yes, these, the old hills,
now made of Irish tweed:
I know this Gaeltacht well,
I a stranger here.
Yes, these are the faces
with their granite glance
Atlantic faces, pride-eroded:
I know these faces well
full of despair and arrogance.
Hills, faces, rocks upthrust.
In them the salt expands,
each crack explodes in dust
from salt, an everlasting frost,
this salt endures, and must.
Whether rock endures
until the world ends
a certain face will live with me
until my life is quenched.
Though stars not see, though wind not sound,
this face will follow me underground,
the granite of its beauty all salt-devoured.

Aimsitheoir

AD 1411
B'in an bhliain ar tháinig
an madra uaine amach
as na sceacha cuilinn
agus d'ith an éanlaith ghormghobach
sméara an tsneachta –
(bhí m'amas ag feabhsú:
bhíos ábalta cuasnóg phuch
a pholladh ar fhadraon:
do chonac an phúróg ag briseadh
na bhfallaí briosca
'gus chuala an gleo 's an fógra cogaidh).

AD 1415
Ní rabhas sa tír
's bhíos ábalta fonóid a dhéanamh
faoina réabhlóid 's a n-éirí amach:
chuireas baic do-dhreaptha ar a raonta,
chuireas a scabhtaí trína chéile:
(tháinig feabhas níos fearr ar m'amas –
bhíos ábalta an riabhóg a leagadh
d'eireaball an phocaire gaoithe
's an phúróg chlúmach a fheiscint
ag titim).

AD 1527
D'éiríos bréan de.
(Ach táim fós ábalta
scáil na gréine a bhriseadh
i súil na heasóige
nó i súil fir).

Marksman

AD 1411
That was the year
the green dog came
from the holly bush
and the blue-beaked bird
ate the snow-berries –
(my aim was improving:
I was able to hole
a wasp's nest
at long range.
I saw the pebble break
the brittle walls
and heard the wasps declaring war).

AD 1415
I was abroad
and could sneer
at their uprising and revolution
and put great obstacles in their path
and confused their scouts
(my aim much improved –
I could knock the pipit
from the kestrel's tail
and see the feathered pebble
fall).

AD 1527
I got bored.
(But I still can break
the sun's reflection
in a stoat's eye
or in the eye of a man).

Puchfhile

An nimh seo do choiglíos
istigh, ar feadh mo shaoil,
á tabhairt chun cineáil
i bhfíneáltacht árthaí dom,
sáim na mairbh léi
is steallaim an nimh
mar tá'n spéir ina criostal
is táim faoi ghlas
in oighear an tsamhraidh,
deighilte ó fhairsinge na glaise,
ó sholas buan an domhain.
– Gheibhim boladh, is mé 'na thaithí:
d'éag a lán is éagfar –
cumaim dán ar an toirt is béicim:
tugaim óráid uaim, mar chríoch.
Tá mo shean-namhaid ann,
a shúile mar fhraochán
ag bualadh ar an gcriostal
ach níl cumhacht ag cinniúint san áit:
táim slán, mo chealg im láimh
á sá isteach i muineál an bháis.

Waspoet

This poison I have stored
inside me all my life
and have refined
in delicate phials,
I inject the dead
and spew the venom out
because the sky is glass
and I am trapped
in summer ice
shut from the expanse of green,
from the world's long light.
I smell the dead –
a most familiar smell.
I make a poem, I yell
and then compose a speech.
And then my oldest foe
with his blueberry eyes
comes and taps the glass
but destiny here
no jurisdiction holds –
I am safe and, sting in hand,
I stab him in the throat.

An Lia Nocht

do Nóra Graham agus Gabriel FitzMaurice

1.
Is uaigneach anocht an spéir –
na réalta 's an ré ina measc
ag lorg neach nach bhfuil ann
sa chiúnas teann, san easpa dhocht.
Gluaiseann dreige tríd an bhfolús seasc:
tá neach as láthair, tá'n chruinne nocht –
éist, a dhia, táim ag labhairt leat.

Méadaíonn gaineamh ar an mbith
'gus coill chopóg sa chlós:
fiacla briste ag ithe bróin
sa scioból atá gan féar.
Cnagann an tost ar dhoras na mbeo
is osclaíonn an tost céanna é:
ach ar imeall na cruinne cloistear ceol.

Itheann an crotal an chloch,
itheann sotal na sean síth:
itheann salann na mban beith,
itheann meirg na feirge fuil.
Féach an rón 's an chiaróg gan bhrí,
na locha lán de leanaí 's nimh
ach ar imeall na cruinne cloistear ríl.

Tá ceol lag feadóg stáin
ar fán thar Oiríon geal
mar shnáithe síoda i bpluais
ag foluain sa dorchadas:
ceoltóir éigin san uaigneas dealbh
ag seinm ríl an dóchais go pras –
ach ní chuirtear scrios ná creach ar ceal.

The Naked Surgeon

1.
The sky is alone tonight –
the moon and stars
seek some presence
in the firm quiet, in the hard lack.
A meteor falls in the empty dark.
Someone is absent, the universe is bare –
listen, God, are you there?

Sand silts the world –
dockleaves in the yard,
broken teeth eat sadness
in the hayless barn.
Silence knocks on men's doors
and silence answers it –
but music is heard in space.

Lichen eats the stone,
old arrogance eats peace:
female salt eats being,
angry rust eats blood.
Beetle and seal are dead,
poisoned children in lakes –
but music is heard in space.

Weak whistle-music moves
beyond Orion's Belt,
silk threads in a cave
float in the dark.
Some player in the solitude
with a hopeful song
but destruction still goes on.

Blonag déanta as míol mór,
cótaí déanta as rónchlúmh:
scuab bearrtha – sin fionnadh broic,
sicíní dóite lón cearc.
Is álainn iad míolta Dé, is buan,
cé inite an t-uan 's an breac –
tá gá le ceol an fheadaire thuas.

Chonaic mé nead ina bladhm
's adhmad beo ina mhin sáibh.
Chonaic mé éan ina spréach
ag titim ón aer gan ghíog.
Chonaic mé ráth 'gus lios ar lár,
chonac páirc na bpilibín' gan mhíog:
chonac bolg bhúistéir an áir.

Tá teanga crochta ar sceach
's ag an snag breac tá an bua
(slua díobh, dubh is bán –
mar ghunna láidir a gclas).
Duilleoga feoite mo dhá chluais
nuair a théann a dtranglam thart –
sa bhfrith-shiansa dúnann Dia a shúil.
Ach tá an ceoltóir nua ag seinm fós:
ar imeall na cruinne cloistear ceol.

2.
Uch, a athair, fan go fóill,
fan liom beo go ndéanfar glan
gúna na cruinne bhíodh uair
chomh húr le croí an cháil.
An cuimhin leatsa bainne na mban
mar bhainne colm chothaíonn an t-ál?
Tálfar aríst é – a athair, fan.

Lard made from whales,
coats from the seals' fur –
shaving brush from badger hair,
burnt chicks are henfood.
God's lovely creatures last
though we eat them, trout and lamb –
there's a use for the whistler's tune.

I saw a nest ablaze,
living wood sawdust.
I saw a bird on fire
fall soundless from the air.
I saw the ancient ramparts downed
and silence in the plover field.
I saw the killers belly feed.

A tongue hangs on a tree,
the magpies' might is right:
a noise of glossy black and white.
I heard their loud artillery.
My ears are withered leaves
from their cacophony,
the discord shuts God's eyes.
But a new musician plays
and music's heard in space.

2.
Listen, father, wait a while –
stay live with me till clean again
the universe's gown
once fresh as a cabbage-heart.
Do you remember mothers' milk
like pigeons' milk that feeds the flock?
It will pour again – wait on.

Do chonaic mé aréir é,
sa spéir ó thuaidh uaim
níos báine ná aon fhuil
ag sileadh ó chíoch na ré
's d'oscail fód spallta gach uaighe
's rinneadh as cré is bainne taos
as fuinneadh arán bheidh úr go buan.

Éist, a athair, éist go cruinn:
cé bodhrán é díon an domhain
's geocach sleamhain ag damhsa air,
tá siansa eile thar a ghlór.
Ná bíodh deifir ort, tóg é mall:
tá deoch an dearmaid romhat sa ród
's malairt cheoil ón bhfeadaire thall.

An bhfaca tú aréir iad,
neoiníní oíche go geal
go gleoite sa bhféar dubh
is caisearbháin go tiubh leo,
sabhrain greanta ar shról bhí seal
ar ghuaillí na ndéithe nach bhfuil beo
ach marbh ó d'imigh draíocht na Sean?

An cuimhin leat réim an tsíl,
ríocht na míolta, cumhacht an aeir
(ina aonar ní raibh sé,
an duine daonna 's a thíos),
an t-eas glasbhán ó chrann troim do léim –
cúr le cúr mar chlúmh-bhrat ar linn?
An cuimhin leat smúit gach dias féir?

Ná bí díomách: an fiú deoir
raic na staire, pór an oilc?

I saw it last night
in the northern sky
whiter than any blood
dripped from the moon's pap
and every parched grave opened up
and the dough of milk and earth
made a bread forever fresh.

Listen, father, listen close –
though the sky's a tambourine
danced on by an iron fool
there's harmony beyond his noise.
Take time and slow your pace –
the dark drink waits for you
and strange music out in space.

Did you see them last night,
night's-eyes brilliant bright
in the black grass
and dandelions *en masse*,
guineas on velvet once
an old god's shoulders
dead since the ancient magic passed?

Remember the age of the seed,
kingdom of creatures, power of air?
(Man was not alone,
man and his household).
Waterfall tumbling from elder-tree,
foam on pools like feather-capes?
Remember pollen from grasses' ears?

Listen, father, cry no tear
for evil seed, for history's debris,

Na clocha bhí i gcónaí fuar,
túr gan díon 's úllord na leac?
Éist, tá corcrán coille ar a thoil
ar inneoin ceárta go binn beacht –
is stair shíoraí siansa sáil a ghoib.

Is a athair, fan go fóill:
níl aon cheol tar éis an bháis,
níl rian daonna ná tuar ann
ach titim domhan sa ghréin.
Bheidh an chruinne ina brídeach bhán,
muince réalta ar a gúna glé:
le hais gach crosaire beidh ardán
is feadóg stáin ag spalpadh ceoil –
go réidh a athair, is fan don spórt!

Ach níor fhan.
Obit. 3/10/84.

3.
Lá dá raibh mo dhóchas tinn
thug mé leigheas dó nár shlán
is d'éag sé is d'fág mé bocht,
im lia nocht 's m'othar marbh.
Bhíos mar chearc i ngleic leis an mbás
i dtobar doimhin: bhí mo ghob balbh
is bhí clúmh mo chroí báite i ngráin.

Le Gleann Darach thug mé cúl
im shiúl don tábhairne chun dí
a chuirfeadh ar neamhní mé –
mo phian, mo scéin 's ceo mo bhróin.
Chualas gáire francach as gach claí,
bhí cnámha greanta ar an ród:
rith scréach feannóige leis an ngaoith.

for the cold eternal stones,
ruined towers, groves of graves.
Listen: a bullfinch sings sweetly
(musical anvil in forge)
his harmony's all history.

So, my father, wait a while.
There's no music after dying,
no inkling of a human sigh –
just worlds falling into suns.
Earth will be the brightest bride,
star-necklets on her gown –
tinwhistles cracking tunes,
platform dances in each town.
Easy, father, wait a while.

> But he did not wait.
> *Obit.* 3/10/84

3.
One day when hope was ill
I took dangerous medicine
and hope died out and left me there,
a naked surgeon, my patient dead.
Like a hen at grips with death
my bill dumb down a well,
my plumage drowned in hate.

I turned my back on Glendarock,
walked for a drink to ease
and to obliterate
pain and fear and grief.
Rats laughed from every hedge,
bones embossed the road –
in the wind a grey crow screeched.

Ansin chonaic mé an tuar
a stiúir mo chroí on gcian:
eorna ina tine ghlas,
brait eorna 'na dtonnta beo
ag crith ag luascadh: na mílte dias
'na lasracha ag longadán, chomh
ciúin, chomh corrach le leanbh 'na luí.

Cheapas díreach nach mbeadh bua
ag an tua iarrainn ná 'n sleá:
ár máthair atá sa mbith
coimeád sinn slán is glan is beo.
Cuireann anfa 's crith talún ar lár
gach dlí, gach múr, gach taisce óir:
bíonn ialus ar an tsreang ag fás.

Ach d'ainneoin an ghliodair, thráigh
mo ghrá, is rith an t-oighear
ó cheann go bonn: cuireadh fé ghlas
mo phíocháin! casadh mo chroí
mar bhanbh ar bior, a fhuil ina gal,
é ag cneadach mar theanga ghadhair:
múineann an speal don eorna a fís.

Mala beo brúite sa ród
an fháinleog ag alpadh cuil
an ghlóthach mharbh sa linn thirim
dúil creabhar capaill sa bhfuil
boilg leanbh mar lamhnáin muc
scréach fir 's a bhod i mbís:
do mhúin an speal don bhfile fís.

A eorna, bí domsa mar bhrat,
lig dom luí sa gharraí leat.

And then I saw the sign
that led my heart to peace –
barley like a green fire,
sheets of barley in live waves
quivering its thousand ears,
swaying flames of green
as quietly restless as a child asleep.

I knew then no victory
would go to iron axe or spear:
our mother which art on earth
conserve us safe and clean.
Gale and 'quake knock flat
all laws all walls all treasuries –
bindweed chokes the telegraph.

In spite of jòy this peace waned
and ice ran through every vein:
all my pores were locked
and my heart turned,
a piglet on a spit, his blood steam,
panting like a dog's tongue:
the scythe taught the corn its dream.

Caterpillars squashed on the roads,
the swallow snapping back flies,
frogspawn dead in pools dried up,
the horsefly craving blood.
Prick in a vice, a man screams.
The scythe taught the poet his dream.

Barley, cover me up,
let me lie in your field.

Iarraim ort bás 'tá glas,
bás i lacht ciúin do ghas.
Cinnte, beidh an bua 'g an domhan –
ach ní bheidh mise ná tusa ann.
Mo ghráin ort, a bháis, ní bheidh mé in ann
gúna glan na cruinne a thástáil
ach mé im leasú ag bith gan smál.

4.
Im ghallán gan scoilt bhíos uair,
mo chlú greanta im thaobh,
mo ráiteas gan tomhas gan rún –
mo shuaitheanas go soiléir:
ach do shéid gaoth na caidéise tríom
(le *cad?* is *conas?* is le *cén fáth?*)
a mhaol mo fhaobhar is loit mo stát.

Chuimil bó an ghrá a tóin
dem shleasa is dhóigh an sioc
an snáithe ionam: gur thit
sciollaí mo nirt sa bhféar.
Thuirling orm ealta ceist, ag lorg pioc
is dúirt an mháthair ionam 'tiuc, tiuc'
cé bhí mé balbh 's im leac féin mé.

Saor cloiche an chúraim bhíodh
am ionsaí le casúr trom,
ag snoí deilbhe a rogha féin,
a shiséal ag gúistiú m'ae:
é ag greanadh fógra gan chead ann
agus gach strainséir slí ag léamh
bréagráitis nár gineadh im cheann.

I ask of you a green death
in the quiet milk of your stalks.
Yes, the world will survive
with neither you nor I alive.
Fuck you, death, I will not then experience
the new gown of the universe –
just lie manure on immaculate earth.

4.
Once a perfect standing stone,
fame engraved on my side,
my statement unambiguous
I had nothing to hide.
But the wind of curiosity blew
with its *what?* and *how?* and *why?*
and blunted the edge of my dignity.

The cow of love rubbed its flank
against my sides and frost burnt:
the grain inside me shrank,
I flaked on the grass bank.
A flock of questions came seeking food
and the mother in me said 'chook, chook'
though I was dumb and mere rock.

The anxiety mason chipped at me
with his heavy hammer,
carving his own design:
his chisel gouged my grammar,
engraved no notices of mine
and every passing stray has read
words not engendered in my head.

Scríobh an crotal litir chugam
ag cúbadh mo ráitis loim
is d'fhás a gearba liath' orm
is do cheileadar mo chruth.
Do chaill mé misneach, mian is fonn:
ní raibh ach scealpa i mo ghuth –
sa chiúnas bhí cluasa ar an domhan.

Bhí mo chorp mar leamhán marbh –
tintreach bhalbh, bun os cionn –
líomhán cúistiúnaí am mheilt
is ding am chreimeadh go smúr.
Do chuireadar bac is cis is mionn
romham is im bhéal – ach sheas mo dhuan.
Tá mise ann fós. Cá bhfuil siad san?

Seasann an spéir ar mo spuaic,
gluaiseann na réaltaí trím lár:
ceansaím gealach agus grian
ceangailte orm le srian mo bhróid.
Ach ní fhásann aon chairdeas fém scáth
ná lus an ghrá, ná mismín an chomhair –
is ní féidir liom paidir a rá.

Is giota cloiche mé anois
briste i bpáirc na speal.
Ós mo chomhair amach tá lao
a shúile baoth' orm go dúr.
Táim chomh haonarach le sceach gheal –
tá crotal 'na screamh ag sciolladh uaim
'gus earc ina chodladh orm mar dhealg.

And the lichen letters came
twisting the bare word
and their grey crust grew on me
and concealed my shape.
I lost all courage and desire,
my voice was just a shard
and all the silent world had ears.

My body like a dead elm –
dumb lightning upside-down –
inquisitor's file eroding me,
wedges wearing me out.
Before me, in my mouth
restraints and oaths – but my poem stayed,
I still stand. But where are they?

The sky stands on my tip,
stars flow through me, inside:
I tame the sun and moon,
harnessed to my pride.
No friendships flourish in my shade,
no herb of love, no mint of help,
and I'm incapable of prayer.

Now merely a lump of stone
smashed in the field of scythes,
a circle of calves around me
staring with silly eyes.
I lonesome like a haw tree
while lichen hones me down
and a lizard-brooch sleeps.

5.

I nGleann an Chasúir tá fuil
sa bhainne is goileann gé
ar theallach folamh: tá cat
a d'at sa chuinneog, marbh.
(Do chroch leataobh muice é féin
ó rachta) is seasann tlú mar tharbh:
seo mo chéad chuairt go teach na tuí tréin'.

Seo áitreabh gharsún an áir
a dhaor chun báis fáth a shaoil:
fís chasúir a nocht dó
conas éaló ón nglae glas.
Cuireadh glaoch orm, an lia gan scian:
chaith mé diallait ar an dorchadas
is lean mé liom go tairseach a chinn.

Snámh snaidhm drise as teas a nid –
gach súil nimhneach mar sméar dhubh:
crústáladh mé le cith caor
ó dhraighean maol na ndealg ndocht.
Chuala gearrcach ag cantain in ubh
chuala mé an tuí ag fás i dtocht
is síol sú craobh ag borradh i subh.

Ach tháinig mé slán ón scáth
slán amach as síon an ghleo.
Shrois mé clós gharsún an áir
agus b'iúd ann faoi shúil na ré
gráinneog ag crú an ghabhairín reo
druma á bhualadh ag gabhar sa spéir:
chuaigh mé amú thar theora na mbeo.

5.

In Hammer Glen there's blood
in milk and a goose complains
on an empty hearth: a cat
swells in the churn, dead and full.
A flitch of bacon hangs itself
from rafters: a tongs stands like a bull.
My first trip to the house of thatch –

home of the Slaughter Lad
who condemned his own kind –
a hammer-vision showed him how
to escape the bird-lime.
I was called, no scalpel packed.
I threw a saddle on the dark
and galloped to the threshold of his mind.

Knots of briars slid from their nests,
each poisoned eye a blackberry.
I was pelted with a shower of fruit
from a bare blackthorn tree.
I heard the chick sing in the egg,
and the straw in the mattress grew,
the raspberry cried in the jam.

But I came safe from these shades,
out of the battle-noise gales,
until I reached Slaughter Lad's
and saw there under the moon's eye
a hedgehog milking a jack snipe,
a goat beating a drum in the sky –
I had crossed over the borders of the live.

Shiúl mé isteach ina cheann
gan lansa ná luibh im láimh
(blaosc seilmide le lúb is cúb
fite fuaite mar dhorchla cúng).
Bhí macalla béice is guí gráin'
ag titim go tiubh ón bhfalla gruach
is samhail a athar 'na leac urláir.

'Bhuaileas, bhuaileas is bhuaileas é
is d'ól an ghé sú a chinn:
dá chloigeann dhein mé mias muc
's chuireas a shúile faoi chirc.
An chéad cheann ina ghliogar bhí –
ach briseadh an tarna ceann le crith
agus phreab aisti gríobh shicín.

'Tá an ghríobh fós im bhlaosc
am thraochadh agus am chrá –
cith doilís óm shrón anuas –
och, a lia, tabhair dom síth!'
Dhiúltaíos é is thréig mé an áit.
Chaitheas uaim mo cheird is mo stíl –
ní raibh im chroí ach smúr agus cáith,
bhí lár m'uchta ina ghrinneall garbh,
mé im lia nocht is mo othar marbh.

6.
Manach ar leathshúil 'na shuí
ag leathghuí idir dhá bhró:
bíogann beatha ina chorp –
tá géarghá turais á mheilt:
turas go linn beidh lán de dhóchas dó,
turas go tobar lán d'allas is mil,
turas go bánchnoic na lóchrann beo.

I walked into his head –
no knife, no healing herb –
helix of a snail's shell,
into a complex corridor.
Prayers of hate, echoes of roars
fell from the faceted walls –
his father's face was carved on the floor.

'I hit him hit him hit him again –
the goose drank the juice of this brain,
I made a pigtrough from his skull
and put his eyes under a hen.
One did not hatch at all,
the other shook and cracked.
Out walked a chicken's claw.

'The claw still sticks in me –
it tortures and exhausts:
contrition runs from my nose,
surgeon, give me peace.'
I refused. And left the place.
I threw away all style and craft,
my heart was ash and chaff,
my soul was a gravel bed –
a naked surgeon and my patient dead.

6.
The one-eyed monk sits,
half prays where millstones turn.
His body comes to life,
a need to travel grinds him up –
a need for pools full of hope,
a need for wells of honey and sweat,
a need for hills where torches burn.

Siúlann sé an bhláthchluain bhán
ag lorg áit na raithní dó
(tríd an solas corcra tearc
é mar bheach i méirín dearg,
go cluain na n-uan, cluain gan anró
go dorchadas bog, foinse na staire
(sos do chách ann a ghabhann an ród).

Ach tá an clog ina thost –
mar phéileacán marbh a phár,
é gan chríochnú gan snas,
mar tá sé claon chun an turais.
Druga é an turas so fhágas ar lár
dínit is gairm, tástáil is strus –
ach gan é ní bheadh manach le fáil!

Nuair éiríonn an manach faon,
liobarnach, aosta is lag,
tréigeann fonn oilithrí é
is b'fhearr leis pár agus clog:
ach caillte tá ceird mhaisiúchán leabhar
is caillte tá cumas guíodóireachta:
caillte aige tá a shuim sa domhan.

Gníomh millteanach é an turas
ach caitheann cách dul air,
is meallann an chluain is na cnoic
na mic a iarrann éaló
le plámás meala, le plámás póg:
'Ná gabh thar teorainn an ghnáthnóis,
ná gabh thar teorainn an ghnáthnóis!'

Báfaidh mé mo phár go léir
i dtobar na meala thall,

He walks the white-flowered field
looking for a ferny place
clad in sparse purple light
(a foxglove round a bee)
to a mild meadow of sheep,
to soft dark, root of history –
peace to all who walk this way.

But only silence from his bell,
dead butterfly his manuscript
– unfinished, unrevised –
he is addicted to this trip,
this drug called pilgrimage
that kills all dignity and skill
and still's his reason to exist.

And when the monk grows weak,
clumsy, worn, aged –
no more desire to roam,
wanting his bell and page.
But he can no longer illuminate,
has lost the power to pray,
lost his interest in the everyday.

This travel's an enormous act,
a trip all have to take,
and meadows and mountains lure
all who want to escape
with coaxing honey, coaxing kiss,
'Do not search for new things,
do not search for new things'.

I will drown all my books
in that honeyed well

bead ag súgradh mar shearrach
in áit na raithní is donn!
Raghad amú i bhfoinse na staire,
snámhfad i linn an dóchais gan aire,
siúlfad go hoíche sna cluana geala!

Ach cloisfidh mé sa dorchadas án
clog ag gol is sciathánchrith pár.

and play like a foal
in the brownest fern.
I will swim in the pool of hope,
I will walk till night in the bright fields.

But in the splendid dark I'll hear
wings of parchment shake and bells weep.